米菲绘本系列 第一辑

米菲住院

[荷兰] 迪克·布鲁纳 图/文

阿甲 审 译

童趣出版有限公司编译 人民邮电出版社出版
北 京

一天，米菲对妈妈说

我感觉浑身没力气

嗓子里也怪怪的

你知道这是怎么回事？

妈妈说，我也说不好

但我们应该这样做：

去找医生来看一看

听听他会怎么说

医生说，嗯，小毛病

我们会把你治好的

可是要到医院才能治

最好今天就去别耽搁

去医院？可怜的米菲叫起来

会不会疼得受不了？

就我一个人去吗？

我想我最好……

不，米菲不用一个人去

妈妈会陪她去那里

她还可以带个小箱子

里面装着她的小睡衣

她们来到了医院

米菲说，医院好大啊！

可我觉得它不太好

我们还是回家吧

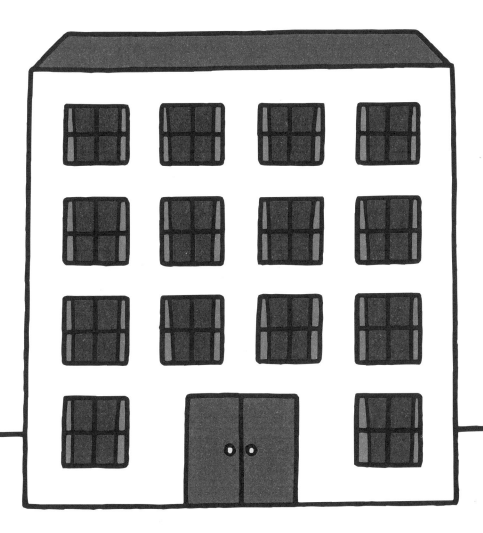

啊，快看！一位护士过来了

她说，你好，米菲！

很高兴见到你，牵着我的手

我带你去你的床位

米菲躺在床上，这里

全是白色的，整齐又干净

护士在她胳膊上打了一针

几乎一点儿也不疼

那小小的一针让米菲感觉

好累啊，她把眼睛闭上了

我好想睡一觉，米菲想着

很快她就打起了盹儿

米菲一觉醒来，你猜怎么着？

她觉得不再那么难受

护士说，你现在好多了

天哪，好得真快喔！

下午，兔妈妈来了

兔爸爸也来了

米菲，感觉好点儿了吗？

这件礼物是送给你的

是娃娃，一个护士娃娃

米菲紧紧抱着她

太棒了！米菲说

医院其实也挺好呀！

图书在版编目（CIP）数据

米菲住院/（荷）布鲁纳著；童趣出版有限公司编译.— 北京：人民邮电出版社，2009.2
（米菲绘本系列．第一辑）
ISBN 978-7-115-19221-9

Ⅰ.米… Ⅱ.①布…②童… Ⅲ.图画故事—荷兰—现代 Ⅳ.I563.85

中国版本图书馆CIP数据核字（2008）第180114号

nijntje in het ziekenhuis
Original text Dick Bruna © copyright Mercis Publishing bv, 1975
Illustrations Dick Bruna © copyright Mercis Publishing bv, 1975
Chinese edition © copyright Children's Fun Publishing Co. Ltd., 2008
Publishing licensed by Mercis Publishing bv, Amsterdam
All rights reserved

米菲住院

迪克·布鲁纳 图/文 阿甲 审译

出 版 人：侯明亮
策划编辑：叶 瑛
责任编辑：叶 瑛 代冬梅
装帧设计：段 芳

编译出版：童趣出版有限公司
出版发行：人民邮电出版社
地 址：北京市东城区交道口菊儿胡同七号院（100009）
网 址：www.childrenfun.com.cn

读者热线：010-84180588
经销电话：010-84180459

印 刷：中华商务联合印刷有限公司
开 本：889×1194 1/40
印 张：0.8
字 数：10千字
版 次：2009年2月第2版 2010年10月第3次印刷
书 号：ISBN 978-7-115-19221-9/G
定 价：12.80元